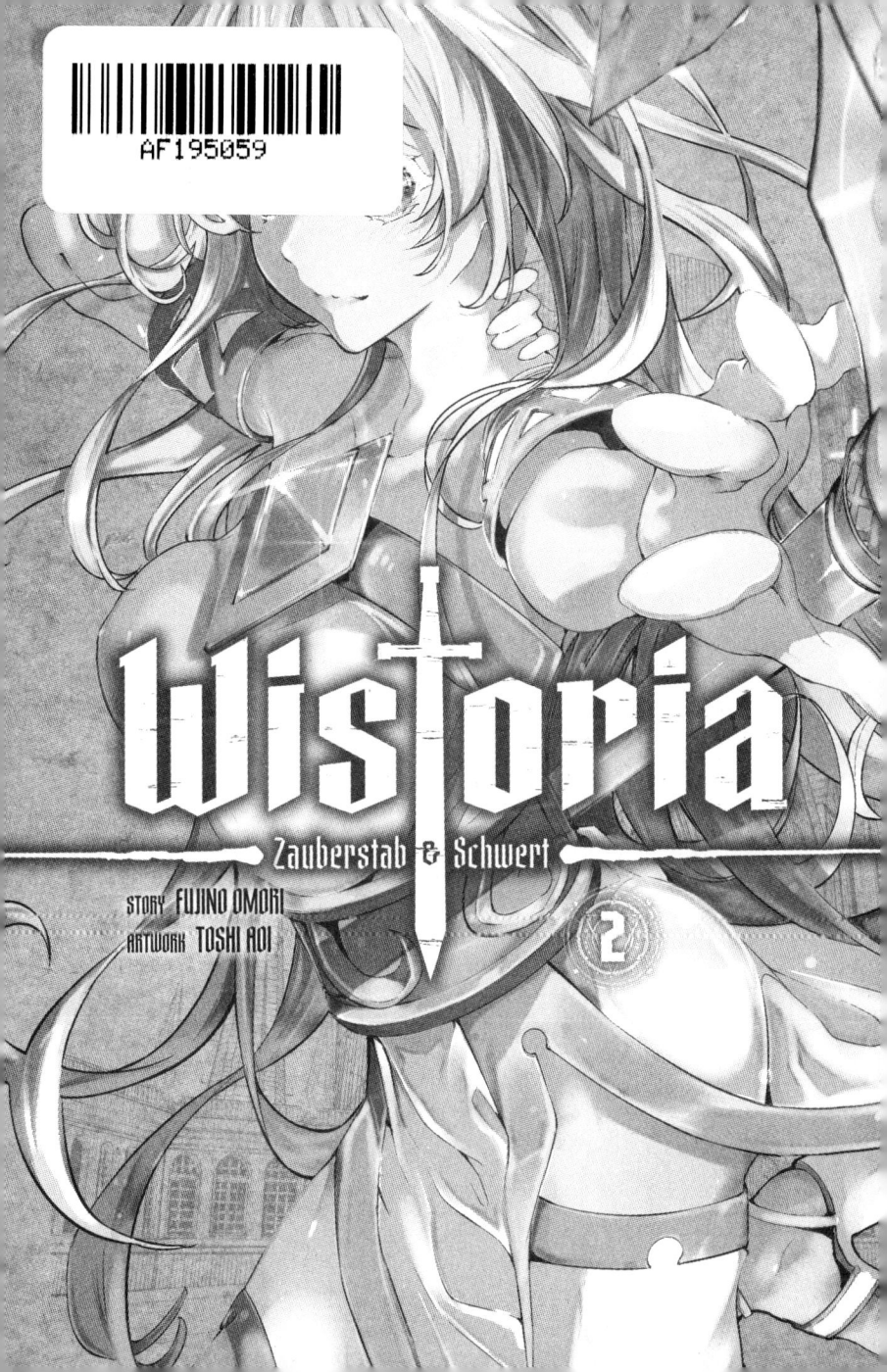

Inhalt

Kapitel 5	Am Vorabend des Magiefestivals	**003**
Kapitel 6	Startschuss	**047**
Kapitel 7	Flammen des Zorns	**091**
Kapitel 8	Zwischen Stolz und Leidenschaft	**133**

Will, du musst beim großen Magiefestival auch gescoutet werden!

Ähm ... Wieso?

Seufz

"Stimmt …"

"Es kam aber schon vor, dass Schüler mit weniger als 7.200 Punkten direkt beim Festival gescoutet und in den Turm aufgenommen wurden."

"Na hör mal, es ist doch unrealistisch, nur mit Theorie ins Obere Institut zu kommen."

"…!"

"Alle geben ihr Bestes, um doch noch an die Spitze zu kommen."

"…!"

"…!"

"Das Magiefestival steht an."

"…!"

Das große Magiefestival
...

Hier wird entschieden, wer aufgenommen wird.

Es gibt vier Fraktionen.

Das Magiefestival ist ein Wettstreit aller Turmfraktionen um die besten Schüler.

Verstehst du, Will?

Incindia Barham

Thorseus Fasce

Albis Vina

Elleaf Canaan

Sie alle werden von einem der aktuellen Magia Vende angeführt. Nur Masterius Noah wird nicht dabei sein.

Wird man von ihnen nominiert, ist einem der Aufstieg in den Turm sicher.

Plitsch

Plitsch

Lange her, seit mich jemand so gedemütigt hat.

Starr

Ich hab's mir anders überlegt.

Dich hier einfach nur festzufrieren, reicht mir nicht.

Rodge Holland, Scout der Flammenfraktion Incindia Barham

Die Scouts haben sich bereits unter das Publikum gemischt. Der Turm verschwendet wahrlich keine Zeit.

Kein Wunder, außer den Leuten vom Turm strömen auch Magier aus der ganzen Welt aufs Festival.

Wir sind bereits mitten im Rekrutierungskampf um die aussichtsreichsten Schüler.

Noch dazu...

Sching

Sst

... gibt's da wen, den ich anfeuern will.

Gwitt

Wohooo

Wir können dir zwar nicht helfen, feuern dich aber an!

Viel Glück bei der Kronenattacke, Shion!

Hach, die Bitte einer Lady konnte ich doch nicht abschlagen.

Hah

Ähm, Shion?

Sorry, dass ich mich an dich wende, aber ...

... du bist der Beste, also wollte ich dich bitten, unserem Team beizutreten.

Ist doch klar, dass sie lieber mich statt den Versager auswählt.

Colette. Endlich hat sie kapiert, wer ihre Zeit verschwendet und wer nicht.

Argh! Was macht der Versager hier?!

Aber Shion! Ich hab dir doch gesagt, dass es »unser« Team ist.

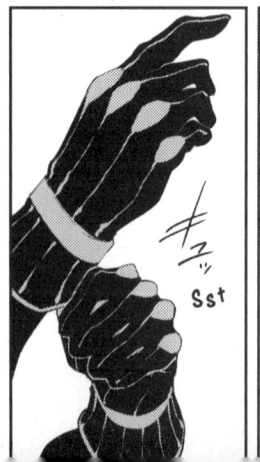

Um sich für die Kronenattacke zu qualifizieren, benötigt das Team über 21.000 Punkte.

Wir brauchen also dich, damit Will mitmachen darf.

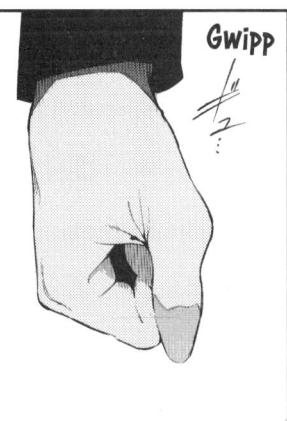

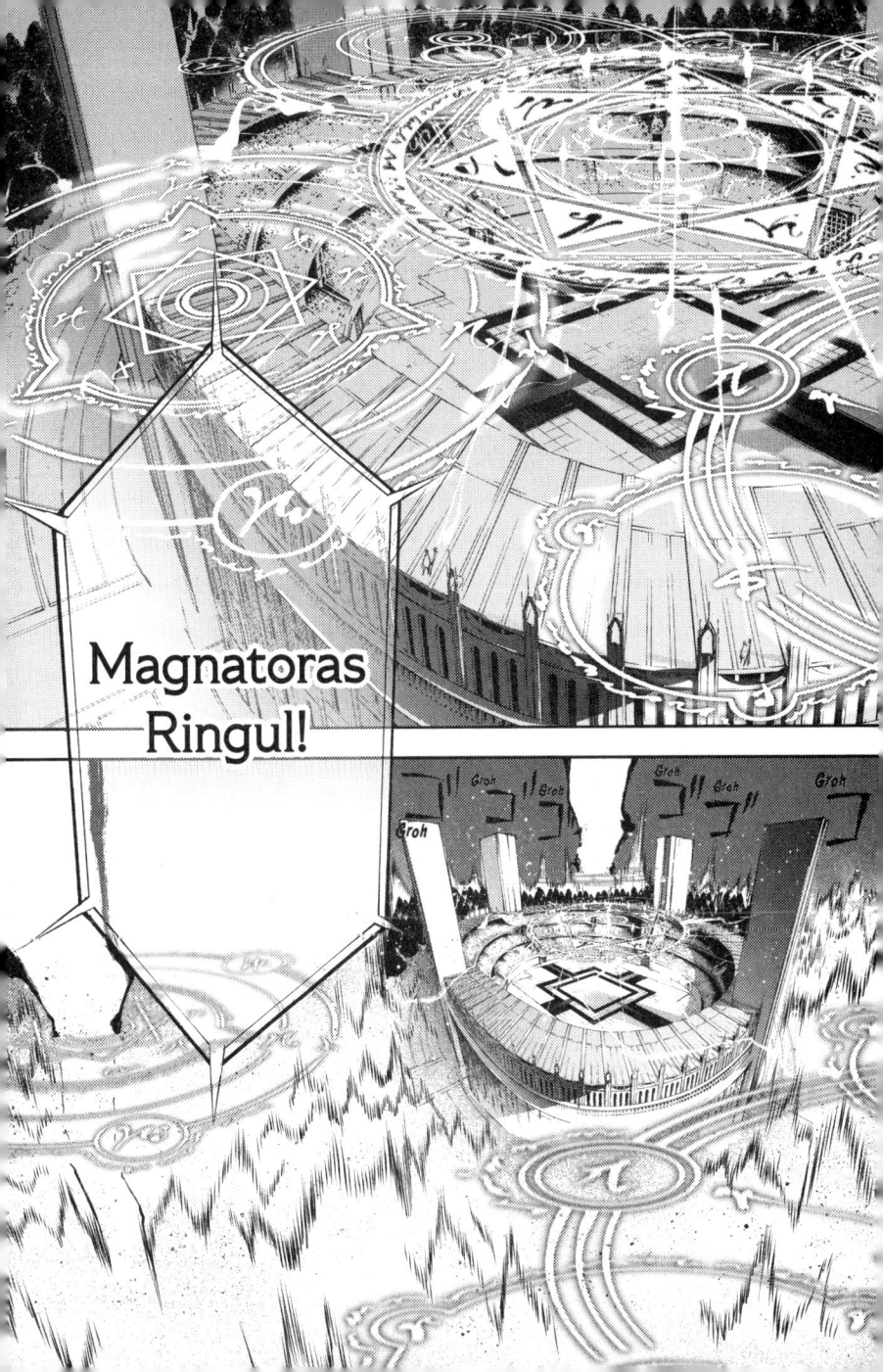

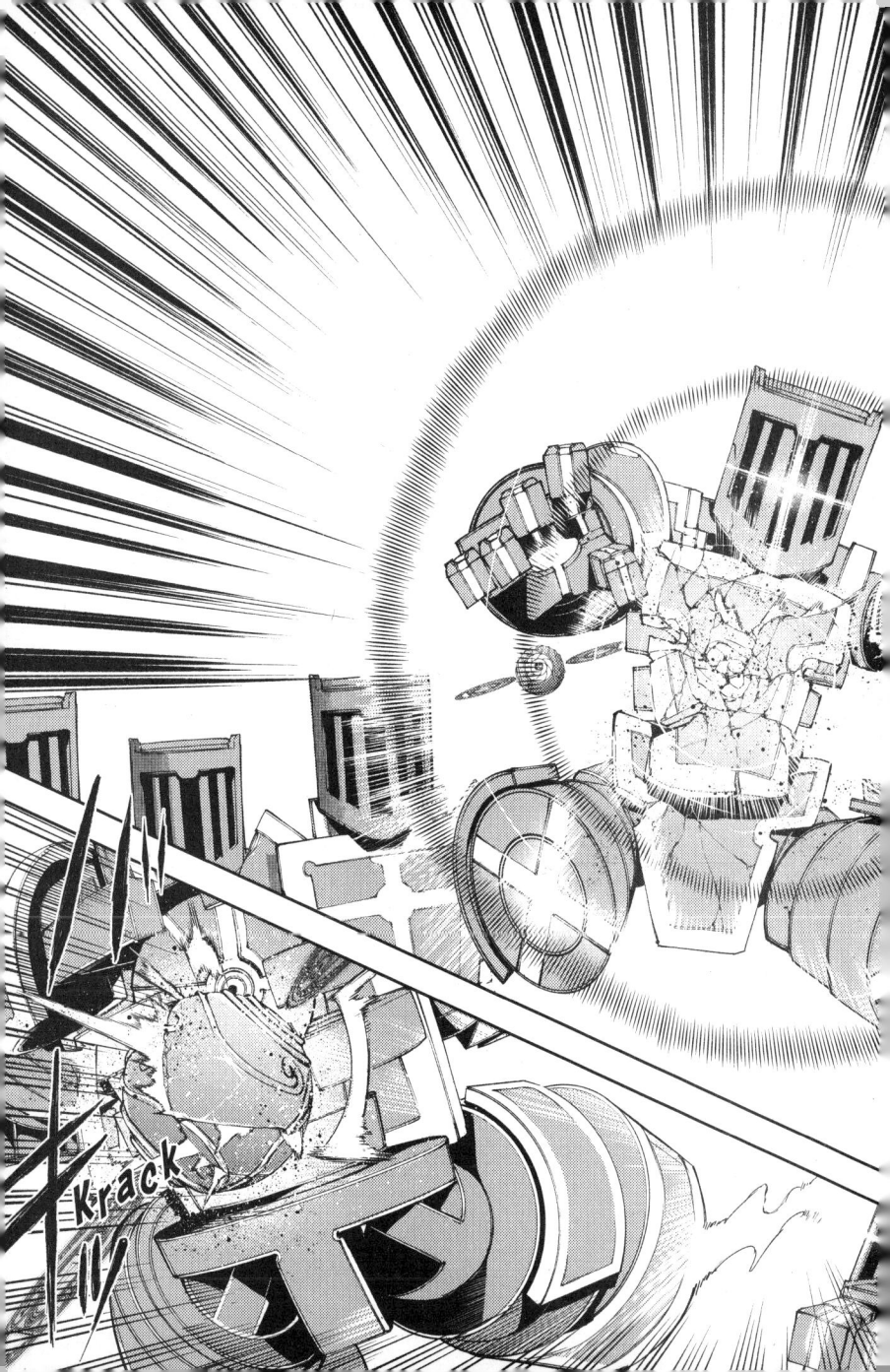

... der Musterschüler, der nur Theorie draufhat!

Will Serfort!

Wistoria
Zauberstab Schwert

Kapitel 7: Flammen des Zorns

Im Stadion jubeln sie ... Ist die Entscheidung etwa schon gefallen?

"Hey, wie ist die Lage?"

"Julius, wenn es so weitergeht, verlieren wir womöglich ..."

"Unserem Suchzauber nach zu urteilen, müsste das Versagerteam in Führung liegen."

"Nicht doch. Ich erledige das."

Eine kreisförmige Fallenkette!

Wenn das so ist ...

In der Regel ist bei der Kronenattacke die Wahrscheinlichkeit höher, auf ein gegnerisches Team zu treffen, je näher man dem Ziel kommt!

Ab dem Wald fängt der Kampf gegen die anderen Teams erst richtig an.

Am besten laufe ich weiter, um ihnen dann aufzulauern!

Wenn ich das Terrain zu meinem Vorteil nutzen kann, dann kann ich Julius ...

Will! Alles in Ordnung?!

J... Ja.

Hah

Bis jetzt habe ich immer brav befolgt, was du von mir verlangt hast, Colette.

Aber jetzt nehme ich mir, was mir zusteht.

Du hast gegen mich zu kämpfen, Versager!

Colette!

Shion, bitte hör auf! Jetzt ist nicht der Zeitpunkt, um mit mir zu Kämpfen!

Wistoria
Zauberstab & Schwert

Dieser aber schützt Shion auch vor Angriffen aus allen Richtungen!

Der Hauptzweck eines Guardians ist, den Magier zu schützen, während er Zaubersprüche wirkt!

Hah Hah Hah Uah ?

Sagenhafte Leistung! Weit besser, als man es von einem Schüler erwarten könnte.

...

Willst du mir etwa weismachen, dass du mir all die Demütigungen ...

... und den Spott nicht nachträgst?

Da kannst du Gift drauf nehmen!

Wie oft habe ich mir ausgemalt, es dir heimzuzahlen!

Klar tu ich das!

Versteh doch, wir haben keine Zeit zu kämpfen!

Doch jetzt müssen wir gegen Julius gewinnen!

Was für ein Scheiß.

Julius?

Es ist dein Anblick, den ich jeden Tag ertragen muss!

Obwohl du keinen Funken Magie beherrschst, gibst du nicht auf.

Das macht mich rasend!

... sollte ich es ihm gleichtun und ihm entgegentreten.

Endlich! Endlich würdigst du mich eines Blickes, Versager.

Wistoria: Zauberstab & Schwert

| Bonusgeschichte |

Vermutlich nur eine flüchtige Spiegelung auf der Klinge

Autor: Katarina

Über Katarina

Seit 2017 erscheint auf der Seite *Shosetsuka ni narou* Katarinas Web Novel *Shangri-La Frontier*, die mit über 400 Millionen Seitenaufrufen eine riesige Popularität genießt. Der darauf basierende Manga stammt aus der Feder von Ryosuke Fuji. Ein Hit-Manga, den man sich nicht entgehen lassen sollte!

Da draußen gibt es eine Welt, die durch Magie vom Himmel getrennt ist, damit der Feind keinen Fuß in sie setzen kann. Fünf Magier sind es, die für die Existenz dieser Welt unabdingbar sind: die Magia Vende. Und jeder, der schon mal einen Zauberstab schwang, träumt von nichts anderem, als auch einmal einer dieser fünf großen Magier zu werden.

Doch es gab einen Jungen, der sich nach dem Himmel sehnte, aber die Magie sich nicht nach ihm. Von ihr im Stich gelassen, beachtete ihn niemand. Obwohl er weder Flammen lodern noch Blitze schießen lassen konnte, gab er nicht auf. »Magieloser Versager!«, wurde er von allen Seiten verspottet, aber seine Stärke war nicht der Zauberstab, sondern das Schwert. Mit Leidenschaft, die einer lodernden Flamme glich und dem Schwert, welches er blitzschnell zu schwingen wusste, machte er sich auf zu seinem Ziel: dem Himmel.

Der Name dieses Jungen war Will. Seit seiner Kindheit trug er den Traum, das Versprechen auf ein Wiedersehen im Himmel in seinem Herzen. Er war ein Krieger mit Schwert und ohne Zauberstab.

Dies ist die Geschichte einer flüchtigen Begegnung, nicht mehr als eine kurze Spiegelung auf der Klinge des Jungen, mit der er sich seinen Weg voran bahnt.

◇

»Kiki, bist du verletzt?!«

Ein höllisches Flammenmeer überflutete die sechste Ebene des Dungeons. Hätte der Junge seinen Feuerrattenumhang nicht umgehabt, wäre nicht nur von ihm bloß Asche übriggeblieben, sondern auch von seiner Vertrautenkreatur, die er unter dem großen Stück Stoff beschützte. Er wartete auf den Moment, in dem das Inferno zu Ende ging.

»Seit wann bilden Baskerville Rudel?!« fragte der Junge sich. Auf der sechsten Ebene des Dungeons waren Baskerville genannte feuerspeiende Dämonenhunde nichts Ungewöhnliches, doch der Junge hatte es diesmal gleich mit vier von ihnen zu tun. Hinzu kam, dass einer von ihnen ungewöhnlich groß war. Zu groß. Und er schien die anderen Höllenhunde anzuführen, sodass sie sich zusammenscharten. Dies konnte nur eins bedeuten.

»Ein Mutant!«

Ein seltener Anblick. War die Mutation angeboren oder waren Gründe im späteren Leben der Kreatur dafür verantwortlich? Auf jeden Fall war jetzt nicht die Zeit, darüber nachzudenken.

Die Flammen sind einfach zu stark!, ging es Will durch den Kopf. Doch der Mutant befehligte die übrigen Baskerville nicht nur, seine Fähigkeiten waren viel stärker als die eines normalen Dämonenhundes.

Wie sehr Will auch gegen die Flammen gewappnet war, noch länger konnte er dem Feuer nicht standhalten. Es verzehrte die Luft um ihn herum. Bald würden seine Eingeweide zu brennen anfangen.

Was nun?!, fragte er sich. Der Feuerrattenumhang war letzten Endes auch nur ein Stück Stoff.

Er breitete den Umhang in voller Länge aus, hüllte seinen Körper damit ein und nutzte so die gesamte Fläche des Stoffs, um sich vor den Flammen zu schützen. Ein Versuch, in die Offensive überzugehen, hieße, dass alles, was unter dem Umhang hervorlugte, die Flammen nähren und bis unter den Stoff, bis zu Wills Körper weiterbrennen würde. Was konnte Will also noch tun? Ersticken oder von den Flammen verschlungen werden? Es schien, als müsste er das Rudel irregulärer Monster einfach weiter ertragen.

Doch dann passierte es.

»Krepiert endlich, dreckige Hunde! Als ob ich meine Zeit mit solchen Trashmobs verplempern will!« Die Stimme war nicht die des Jungen, und sie war lauter als die Schreie des Baskervilles. Die Flammen ließen nach. Will nutzte die Chance, nahm seinen Vertrauten sowie seine Beine in die Hand und entfloh dem Flammenmeer. Wegen seiner angekokelten Kleidung war er zwar ein wenig verärgert, doch dann fiel ihm ein, dass das um Welten besser war, als zu einem Häufchen Asche niedergebrannt zu werden. Er wandte sich den Gegnern zu und fasste sie ins Auge.

Nochmals erklang die fremde Stimme: »Was zum Teufel? Da lande ich auf einmal mir nichts, dir nichts in diesem komischen Dungeon und Emul ist auch nicht hier! Aaaaah, Mist! Ich muss lebend zurückkommen, egal was es kostet!« Ein Schatten stürzte sich wutentbrannt auf die Baskervilles. Will dachte zunächst, ein Magier sei ihm zu Hilfe gekommen, doch dem war nicht so. Durch die vor Hitze flimmernde Luft sah er, dass der Schatten kein Magier sein konnte, schließlich stürzte er sich nicht blindlings auf seine Gegner. Nur Krieger, die das Schwert führten, suchten den Nahkampf.

»Hey, du da!« kam es aus Richtung des unbekannten Schattens.

»Hä?« antwortete Will überrascht.

»Wenn du kämpfen kannst, dann richte dich auf und … Waah! Verschwinde, du Mistviech! Ähm, komm schon, geh mir zur Hand!

Argh!! Was soll das, mein Schritt ist nicht zum Beißen da!« Endlich nahm der Schatten Gestalt an. Er war halb nackt und besaß den Kopf eines Vogels. Will dachte, er hätte es vielleicht mit einem menschenähnlichen Monster wie einem Evil Sentinel zu tun. Doch der Schatten sprach klar und deutlich in Menschensprache mit Will, also war er trotz seiner verrückten Erscheinung wohl doch ein Mensch.

»Na gut, ich helfe dir!«, sagte Will.

»Ah, das freut mich! Ups?! Herrje, dieses Spiel laggt vielleicht! So, Hündchen, wird Zeit, dass ich euch beibringe, artig zu sein. Ihr bekommt ganz viele Streicheleinheiten. Auf den Kopf. Mit dem Schwert!« Den Oberkörper des Vogelmenschen bedeckte kein einziges Stück Stoff, geschweige denn eine Rüstung, ganz so, als ob er seine schmerzhaften Narben zur Schau stellen wollte. Als er zum Angriff auf die Baskervilles überging, dachte Will, dass er ja eigentlich ein Kampf Mensch gegen Monster erwartet hatte, doch was er hier sah, glich eher einem Kampf Wolf gegen Wolf.

Und ganz so, als würde der riesige Baskerville-Mutant Wills Gedanken lesen, kläffte er tadelnd in Richtung seines Rudels, das sich die eingenen Wunden leckte und sprang allein auf den neuen Gegner zu. »Oh, der echte Bosskampf. VR-Brille, jetzt geht's los!«, sagte der Fremde, als er zum Gegenangriff überging.

»Hä? Ähm, mein Name ist aber Will ...«

»Und meiner Sunraku. Danke, dass du meiner Raid-Gruppe beigetreten bist. Wir greifen ihn als Tag Team an. Ich geh voran!«

Donnerndes Gebrüll bahnte sich seinen Weg durch den Dungeon und vermischte sich mit den lodernden Flammen. Zwei Krieger und drei Klingen machten sich zum Kampf bereit: Will mit seinem Langschwert und Sunraku mit seinen zwei Dolchen. Eine sonderbare Fügung des Schicksals war es, die sie zusammengeführt hatte, und die Schlacht war drauf und dran zu begi...

»Du, Will, hör mal ... Ich habe da ein Problem.«

»Hä?«

»So ein Tentakel-Dings hat mich geschnappt. Was soll ich tuuuuuuaaah?!«

»Vielleicht ein Höhlenoktopu... Waaah, was soll das?!«

Es wurde dunkel und Stille kehrte ein.

»Hä? Wie? Was?«

Zurück in der Magieschule Rigarden erinnerte sich Will noch vage daran, wie er die Baskervilles mitsamt dem Mutanten erledigt hatte. Das, was Professor Workner ihm erzählte, verwirrte ihn etwas.

»Will, also nach allem, was ich gesehen habe, bin ich ziemlich sicher, dass du die Baskervilles allein erledigt hast. Da war sonst niemand. Wie leichtsinnig von dir!«

Will musste etwas sagen. »Aber wie?! Da muss doch noch wer gewesen sein! Kiki, komm, sag es ihm!« Will drehte sich in Richtung seines Vertrauten und hoffte auf eine zufriedenstellende Antwort. Doch Kiki schaute nur verdattert drein, so als ob Will gerade kompletten Blödsinn von sich gegeben hätte. Daran, dass beide eine andere Sprache sprachen, scheiterte die Kommunikation nun wirklich nicht.

Aber ... Er ist doch wirklich da gewesen!, dachte sich Will. Ein primitiv aussehender Krieger, der es mit ihm gemeinsam gegen die

Baskervilles aufgenommen hatte. Aber … War das alles wirklich geschehen? Oder war alles nur eine Halluzination gewesen, die die Baskervilles ihn sehen lassen hatten? Er sah sich die Trophäen der Dämonenhunde, die vor ihm lagen, nochmals an und darauf waren sie ganz deutlich zu sehen: Einschnitte. Diese konnten unmöglich von Wills Moria-Langschwert stammen. Sie sahen völlig anders aus. Es war klar, dass sie nur von Klingen stammen konnten, die gleichzeitig trafen …

Ende

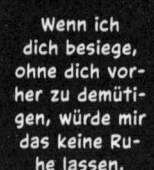

Shion Ulster

Rasse: Lyzance

Alter: 16

Größe: 171 cm

Geburtstag: Am 13. des Nollmonats (13.5. in unserer Welt)

Vorlieben: Marshmallows mit ganz viel Honig drauf (sagt das aber niemandem)

Abneigungen: Versager, die ihn keines Blickes würdigen, seine erste Liebe

Erste Liebe: Colette Loire (vor fünf Jahren)

Tiefste Ebene im Dungeon: 6

Ausrüstung: Feuerfalken-Zauberstab, Hemden und Lederstiefel von Les Ailes (exklusive Luxusmarke für Adelige)

Spezialfähigkeit: Feuermagie der Hoch- und Mittelklasse. Iflamus Bardelion (Hochklassiger Zauberspruch)

Ältester Spross eines berühmten Feuermagiergeschlechts. Hat eine jüngere Schwester.

Seit einem gewissen Vorfall in seinem ersten Schuljahr ist er sich Wills Existenz schmerzlich bewusst und sieht ihn als Gegner an.

Colette Loire

Rasse: Lyzance

Alter: 15

Größe: 164 cm

Geburtstag: Am 8. des Luchsmonats (8.10. in unserer Welt)

Vorlieben: Bohnengerichte der Zwerge

Was sie verheimlicht: Ihr früheres Ich (vor allem wie sie vor fünf Jahren war)

Erste Liebe: Will Serfort

Tiefste Ebene im Dungeon: 7

Ausrüstung: Erdseelen-Zauberstab, Blutsiegel-Armreif

Spezialfähigkeit: Loire Seek, Golembeschwörung

Einzige Tochter des untergegangenen Adelsgeschlechts Loire. Sie hat große Probleme mit Zaubern, die Präzision erfordern.

Seit einem gewissen Vorfall in ihrem ersten Jahr auf der Magieschule ist sie mit Will befreundet.

Story: Fujino Omori

Die Zaubersprüche und die Begriffe in diesem
Werk sind einfach ausgedacht, also denkt bitte
nicht allzu sehr darüber nach.

Artwork: Toshi Aoi

Vielen Dank, dass ihr euch Band 2 gekauft habt. Es ist genau
ein Jahr her, dass ich mit meinen Arbeiten an den Manuskripten
dieses Werks begonnen habe. Ich würde mich freuen, wenn
ihr weiterhin tapfer an Wills Seite kämpft.

Frieren – Nach dem Ende der Reise
Kanehito Yamada | Tsukasa Abe

Der Magierin Frieren und ihren Kameraden ist es gelungen, den Dämonenkönig zu bezwingen, aber was jetzt? Während die anderen Mitglieder ihrer Gruppe immer älter werden und schließlich sterben, ist es Frieren als Elfe vergönnt, in der Welt weiterzuleben, die sie gerettet hat. Das Ende des Abenteuers ist erst der Anfang von Frierens Geschichte …

Fullmetal Alchemist – Ultra

Hiromu Arakawa

Die Brüder Edward und Alphonse Elric wollen mithilfe von Alchemie ihre verstorbene Mutter wieder zum Leben erwecken. Doch das Experiment missglückt und Edward verliert sein linkes Bein und seinen Bruder. Um ihn zurückzuholen, opfert Edward seinen rechten Arm und bindet Alphonse' Seele an eine Rüstung. Damit beginnt die Reise, um sich alles zurückzuerobern, was ihnen genommen wurde.

Diamond in the Rough – Vom Schicksal geschliffen
Nao Sasaki

In einer Welt, in der sich alles um Steine dreht, bestreitet Akeboshi sein Leben als reisender Erzhandwerker. In einem unterirdischen Dorf trifft er auf Kai – einen Jungen, dessen linkes Bein und seine gesamte Familie versteinert wurden. Akeboshi beschließt, dem Jungen zu helfen, ohne zu ahnen, welche Bürde er sich damit auflädt.

Ein Landei aus dem Dorf vor dem letzten Dungeon sucht das Abenteuer in der Stadt

Toshio Satou | Hajime Fusemachi | Nao Watanuki

Im Dorf Konlon glaubt nicht mal der gebrechlichste Opi daran, dass Lloyd das Zeug zum Soldaten hat. Trotzdem will er in der Hauptstadt einer werden. Was Lloyd dabei nicht weiß: Zu Hause hatte er nur Helden um sich, aber unter den Normalsterblichen der Stadt wird er zum tollpatschigen Übermenschen!

Virgin Road – Die Henkerin und ihre Art zu leben
Mato Sato | Ryo Mitsuya | nilitsu

Die junge Menou ist Henkerin, eine Auftragsmörderin im Dienst der Kirche. Als solche ist es ihre Aufgabe, sogenannte Verlorene – Menschen, die beim Übertritt in ihre Welt übermenschliche Kräfte erhalten – zu töten, bevor sie Chaos und Verderben säen können. Allerdings scheint Menous neues Ziel, die süße Akari, unsterblich zu sein ...

Virgin Road – Die Henkerin und ihre Art zu leben
Light Novel

Mato Sato | nilitsu

Mit ihren gewaltigen Kräften bringen die Verlorenen Chaos und Zerstörung über die Welt. Menous Aufgabe als Henkerin ist es, sie hinzurichten, bevor sie sich ihrer Macht bewusst werden. Ihr neustes Ziel, die unschuldige Akari, stellt Menou jedoch vor eine besondere Herausforderung, denn das Mädchen scheint unsterblich zu sein ...

Meine Wiedergeburt als Schleim in einer anderen Welt
Fuse | Taiki Kawakami | Mitz Vah

Satoru Mikami wurde ermordet. Aber statt im Jenseits zu landen, wird er in einer anderen Welt als Schleim wiedergeboren. Verwirrt, aber mit mächtigen Skills ausgerüstet, begibt er sich auf ein wabbliges Abenteuer durch eine Welt voller Goblins, Drachen und Zwerge!

Radiant
Tony Valente

Seth ist ein junger Hexer und gehört damit zu den wenigen, die den schauderhaften Monstern namens Nemesis Einhalt gebieten können, welche das Land bedrohen. Geplagt von Vorurteilen der Bevölkerung und gejagt von der Inquisition beschließt Seth nach Radiant zu suchen, dem legendären Ursprung der Nemesis.

A Returner's Magic Should be Special
Usonan | Wookjakga

Das Schattenlabyrinth ist ein äußerst gefährlicher Ort. Seit zehn Jahren kämpfen dort die Menschen in einem brutalen Krieg gegen die Armee der Schatten. Als Letztere jedoch die Überhand gewinnt und die Menschen bezwingt, findet sich Desir Herrman in der Vergangenheit wieder. Ihm bleiben dreizehn Jahre, um das Ende der Welt zu verhindern, doch wird es ihm gelingen?

Tomb Raider King

3B2S | Yuns(REDICE STUDIO) | SAN.G

Als plötzlich aus dem Nichts mysteriöse Grabstätten auftauchen, entsteht ein neues Berufsfeld: Grabräuber. Joo-Heon ist einer von ihnen und damit ist es seine Aufgabe, in die Grabstätten einzudringen und die mächtigen und gleichzeitig wertvollen Relikte, die in ihnen schlummern, zu bergen. Als er jedoch von seinem Chef verraten wird und stirbt, schlägt er fünfzehn Jahre in der Vergangenheit seine Augen wieder auf.

Deutsche Ausgabe / German Edition

Altraverse GmbH
Ruhrstr. 11 a
22761 Hamburg
kontakt@altraverse.de

Aus dem Japanischen von Gregor Wakounig

Wir behalten uns die Nutzung unserer Inhalte für Text- und Data-Mining im Sinne von § 44b UrhG ausdrücklich vor.

Tsue to Tsurugi no Wistoria
©2021 Fujino Omori / Toshi Aoi. All rights reserved.
First published in Japan in 2021 by Kodansha Ltd., Tokyo.
Publication rights for this German edition arranged
through Kodansha Ltd., Tokyo.

Redaktion: Esther Hornbrook
Herstellung: Esra Doğan
Lettering: Vibrant Publishing Studio

Druck: Nørhaven A/S, Viborg
Printed in Denmark

Alle deutschen Rechte vorbehalten.
ISBN 978-3-7539-1832-7
2. Auflage 2025

www.altraverse.de